C000171318

Pour Yves-Marie et Saul
M.G.

Pour Brigitte,
et ceux qui aiment partager
P.S.

Petits Contes & Classiques

Jacques et le haricot magique

Raconté par Pierre Sémidor et illustré par Mayalen Goust

 Magnard Jeunesse

Il y avait une petite ville où les habitants
étaient tristes et pauvres.
On disait que c'était à cause d'un terrible géant,
mais personne ne l'avait jamais vu.

Jacques vivait dans une ferme près de cette petite ville.
Sa mère était seule pour s'occuper de lui.
Elle travaillait dur et ne possédait qu'une vache nommée
Marguerite.

Jacques passait son temps à regarder le ciel ; il observait la forme
de chaque nuage et connaissait la place de chaque étoile.
Il était encore trop jeune pour travailler avec sa mère, mais il l'aidait
en s'occupant de traire leur vache.

Un jour, Marguerite ne donna plus assez de lait,
et la mère décida qu'il fallait la vendre.
Jacques proposa d'aller au marché.
Sa mère hésita tout d'abord parce qu'elle le trouvait bien jeune,
puis elle accepta en espérant qu'il la vendrait un bon prix.

En chemin, Jacques rencontra un homme qui le regarda avec attention.

« Bonjour, mon garçon. Où vas-tu ainsi ?

— Je vais au marché pour vendre notre vache », répondit Jacques tristement.

L'homme sortit de sa poche un petit sac de toile et l'ouvrit.

« Que dirais-tu de me l'échanger contre ces beaux haricots ? demanda l'homme.

— Quoi, ça ! s'écria le garçon.

— Fais-moi confiance, assura l'homme. Ce ne sont pas des haricots ordinaires.

  Ils te porteront chance, car ils sont magiques. »

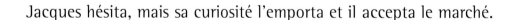

Jacques hésita, mais sa curiosité l'emporta et il accepta le marché.

Quand sa mère vit ce qu'il rapportait à la place de la vache, elle se mit à crier.

Dans sa colère, elle saisit les haricots et les jeta par la fenêtre.

Mais bientôt elle commença à pleurer, pensant que son fils était bien petit
et qu'il ne l'aidait guère.

Ce soir-là, ils allèrent se coucher sans avoir rien mangé.

Pendant toute la nuit, Jacques fit des rêves étranges.

À son réveil, il fut très étonné en voyant de gros troncs devant sa fenêtre.
Il sortit aussitôt et découvrit avec surprise que les haricots avaient poussé,
poussé, poussé...
... et que leurs tiges formaient une échelle qui montait jusqu'aux nuages
et semblait les traverser.

Le garçon courut aussitôt vers l'échelle et commença à grimper.

Quand sa mère sortit de la maison
et le vit là-haut, tout près des nuages,
elle cria pour le rappeler,
mais il ne l'entendait déjà plus.

Parvenu au sommet, Jacques aperçut au loin un château.

Il suivit le sentier qui y menait. À son arrivée, une femme l'accueillit :

« Mon pauvre enfant, que viens-tu faire ici ? Tu ne sais pas que c'est la maison

d'un géant qui ne fera de toi qu'une bouchée ! »

Jacques n'eut pas le temps de répondre. Le sol se mit à trembler :

on entendait des pas lourds.

Pendant que la bonne femme accueillait le géant, Jacques courut
se cacher dans un placard de la cuisine qui était resté entrouvert.
À peine entré, le géant se mit à renifler : « Ça sent l'enfant ici,
ça sent l'enfant... Où est-il ? Où le caches-tu ? »
Et il se promenait partout dans la pièce avec un air menaçant.
Dans son placard, Jacques était immobile, se retenant de respirer.
La bonne femme essayait de cacher sa peur.
« Monseigneur, ce que vous sentez, ce sont les volailles que j'ai préparées. »
Et elle posa un immense plat sur la table.

Le géant engloutit un canard entier, puis un poulet entier,

et il réclama à manger encore et encore.

Après ce repas, il se dirigea vers le placard où se trouvait Jacques.

Le malheureux se blottit tout au fond, derrière de grands sacs.

« Maintenant, je vais compter mon or », dit le géant.

Et il attrapa deux gros sacs qu'il renversa sur la table.

Il commença à faire des piles, mais il ne tarda pas à s'endormir

et se mit à ronfler bruyamment.

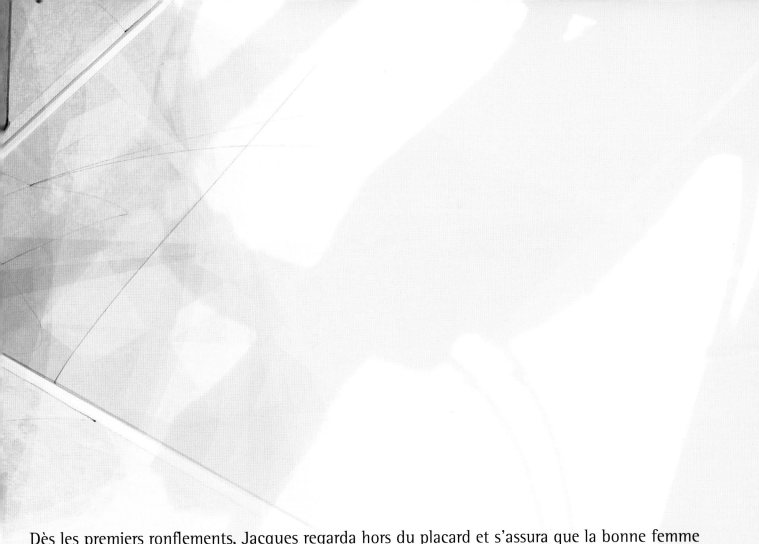

Dès les premiers ronflements, Jacques regarda hors du placard et s'assura que la bonne femme
ne pouvait pas le voir. Il attrapa un énorme sac d'or, presque aussi gros que lui, et il s'enfuit avec.
Il se disait que le géant possédait tellement de richesses que ce sac ne lui manquerait guère.

24

Quand il arriva en bas de l'échelle, sa mère se réjouit de son retour.

Elle avait eu bien peur qu'il soit parti parce qu'elle s'était fâchée contre lui, la veille.

Elle se réjouit encore plus quand elle vit le contenu du sac !

Et ils vécurent ainsi tranquilles quelque temps.

Quand le sac fut vide, Jacques décida de remonter au château du géant.

La bonne femme l'accueillit avec méfiance mais, quand le sol se mit à trembler et qu'elle entendit les pas du géant, elle se radoucit et laissa Jacques se cacher.

Dès qu'il entra dans la cuisine, le géant renifla de nouveau :
« Ça sent l'enfant, ça sent l'enfant... » hurlait-il.
Et il se dirigea droit vers le placard aux sacs d'or. Mais la bonne femme réussit à le distraire en lui servant cette fois-ci un mouton grillé.

Après son repas, le géant s'écria :

« De l'or, de l'or, je veux plus d'or ! Amène-moi mon oie ! »

La bonne femme revint avec un bel oiseau blanc.

Et à chaque fois que son maître l'ordonnait, l'oiseau pondait

– ô merveille ! – un œuf jaune et brillant.

Le géant s'endormit au milieu de ses richesses.

Alors, Jacques sortit tout doucement de sa cachette.

Il glissa l'oie endormie sous sa chemise et redescendit chez lui.

Sa mère fut bien heureuse de découvrir l'oiseau
que son fils ramenait, et ils purent désormais vivre sans soucis.
Mais, poussé par la curiosité, Jacques eut envie
de remonter au château du géant.

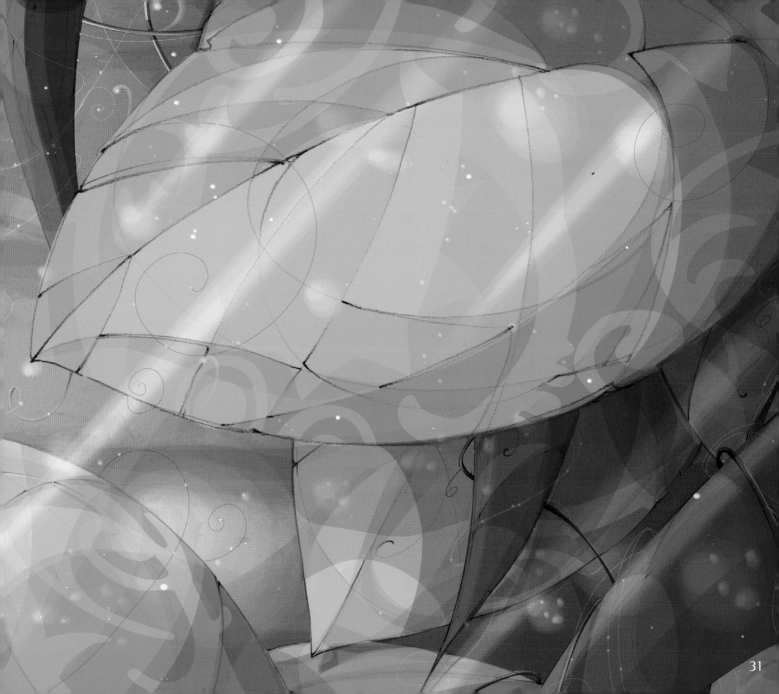

Cette fois-ci, il préféra se cacher dans le château sans se montrer à la bonne femme.

De nouveau, le géant hurla qu'il sentait l'enfant. Il chercha, mais ne trouva rien,

et la bonne femme lui servit un bœuf entier rôti.

Après le repas, le géant recompta son or, puis il demanda sa harpe.

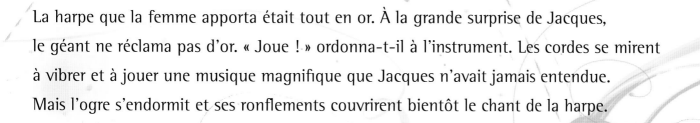

La harpe que la femme apporta était tout en or. À la grande surprise de Jacques, le géant ne réclama pas d'or. « Joue ! » ordonna-t-il à l'instrument. Les cordes se mirent à vibrer et à jouer une musique magnifique que Jacques n'avait jamais entendue. Mais l'ogre s'endormit et ses ronflements couvrirent bientôt le chant de la harpe.

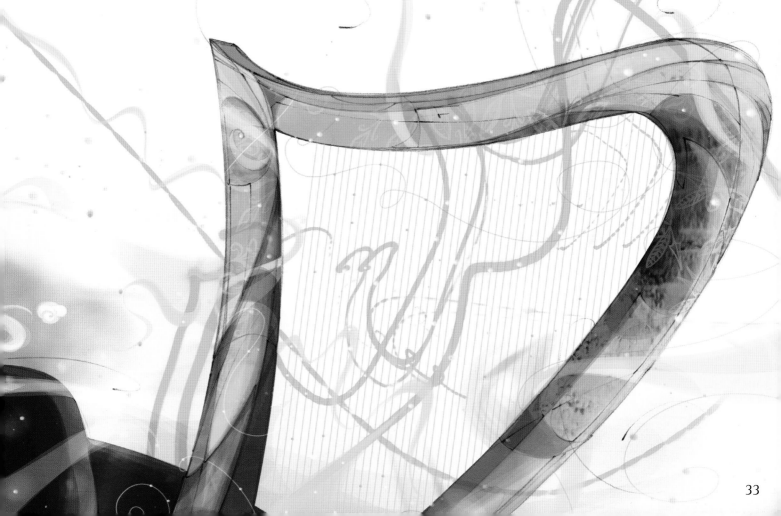

Jacques comprit qu'il devait emporter cet instrument merveilleux
et il le glissa sous sa chemise. Hélas ! En sortant du château,
il trébucha et fit vibrer les cordes magiques.
Le géant se réveilla aussitôt et se lança à sa poursuite.

Le garçon pouvait sentir le sol trembler sous ses pieds.
Il courait de plus en plus vite, mais il entendait le géant hurler :
« Petit vaurien ! Tu m'as volé mon or ! Tu m'as volé mon oie !
Tu n'auras pas ma harpe ! »

Heureusement que Jacques était très agile pour descendre
le long des tiges des haricots ! Quand il arriva en bas,
le géant était encore très haut dans le ciel.

Le garçon attrapa une hachette et se mit aussitôt à entailler les énormes troncs.

Il travaillait avec tant d'énergie que les haricots
commencèrent à trembler, et bientôt
l'échelle s'effondra du haut du ciel.

Le géant tomba avec elle et fut tué sur le coup.

Depuis la mort du géant, Jacques et sa mère vivent heureux
dans leur ferme. L'oie se promène librement
et ils ne manquent plus de rien.
Grâce au jeune garçon, tout le pays a retrouvé la joie de vivre.
Et, à chaque fois qu'il y a une fête, Jacques apporte sa harpe
et lui demande de jouer pour tous.

Petits Contes & Classiques · Albums souples

Ces titres existent en version
cartonnée, grand format.
Retrouvez-les sur :
www.magnardjeunesse.fr

Les fées
Illustré par Charlotte Gastaut

Jacques et le haricot magique
Illustré par Mayalen Goust

Boucle d'or et les trois ours
Illustré par Xavière Devos

Le Tour du monde en 80 jours
Illustré par Cyril Farudja

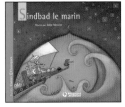

Sindbad le marin
Illustré par Julie Mercier

Les trois petits cochons
Illustré par Éric Puybaret

Le loup et les 7 chevreaux
Illustré par Hervé Le Goff

Le petit chaperon rouge
Illustré par Frédérick Mansot

La belle et la bête
Illustré par Magali Fournier

Poucette
Illustré par Aline Bureau

Fables de La Fontaine
Illustrées par Rébecca Dautremer

Album de poésies
Illustré par Nouchka

Le chat botté
Illustré par Céline Puthier

La chèvre de monsieur Seguin
Illustré par Arnaud Madelénat

Heidi
Illustré par Nicolas Duffaut

Hansel et Gretel
Illustré par Élisabeth Pesé

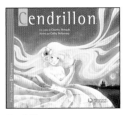

Cendrillon
Illustré par Cathy Delanssay

Don Quichotte
Illustré par Gwen Kéraval

Peau d'âne
Illustré par MissClara

Le vilain petit canard
Illustré par Lucie Minne

Contes et Classiques du monde · Albums cartonnés, très grand format

Kiviuq et l'ours blanc
Un conte inuit, ill. Isabelle Chatellard

L'Enfant, le jaguar et le feu
Un mythe brésilien, ill. Aurélia Fronty

L'Échassier de l'Empereur
Un conte japonais, ill. Marie Caudry

La Cuillère d'Aminata
Un conte africain, ill. Cécile Arnicot

Le Bateau de papier
Un conte chinois, ill. Zhong Jie

Le pinceau magique
Un conte chinois, ill. Zhong Jie

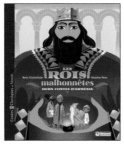

Les Rois malhonnêtes
Un conte arménien, ill. Sébastien Pelon

Ivan et le Loup gris
Un conte russe, ill. Marie Desbons

Le Lézard de Pem Pem
Un conte d'Himalaya,
ill. Marie Desbons

Les Quatre Vœux
Deux contes indiens d'Amérique du Nord,
ill. Sandrine Bonini

© Éditions Magnard Jeunesse, 2010
www.magnardjeunesse.fr
5, allée de la 2ᵉ D.B. - CS 81529 - 75726 PARIS 15 Cedex

Tous droits de reproduction, de traduction et d'adaptation réservés pour tous pays.
Loi n° 49-956 du 16-07-1949 sur les publications destinées à la jeunesse.

Dépôt légal : Avril 2012 - N° éditeur : 2017_0637
N°ISBN : 978-2-210-98718-0
Achevé d'imprimer en février 2017 par Sepec - 09463170108

PEFC 10-31-1470 / **Certifié PEFC** / Ce produit est issu de forêts gérées durablement et de sources contrôlées. / pefc-france.org